雪女の家
おけら山
おおかみ男の家
ひりひり滝
ぬるぬる池
かたかた橋
にこにこ
ぷんぷん
めそめそ
の花畑
ぞくぞく劇場
美術館
ぞくぞく小学校

ぞくぞく村の
雨(あめ)ぼうず
ピッチャン
末吉暁子・作　垂石眞子・絵

今夜もビショビショ。
ゆうべもザーザー。
おとといの夜もパラパラパラパラ。
たぶん明日の晩も、シトシトシト。

そう。ここは、ぞくぞく村のびしょびしょ丘。

住んでいるのは、いたずらこぞう、
雨ぼうずのピッチャン。

ピッチャンは、頭のてっぺんの
アンテナから、ピピピッと無線で、
お気にいりの雨雲を呼びます。

すると、まっ黒けのわたあめの
おばけみたいな雨雲が、ビヨヨー
ンと頭の上にやってきて、

「くもすけ参上！
お呼びですかあ？」

「うん。まずはシャワーをあびたいからね、たのむよ！」

「へいい！　がってん！」

くもすけが、体（からだ）をプルプルプルとふるわせると、たちまち、雨（あめ）がふりだしました。

シャワシャワシャワシャワ〜。

ピッチャンは、シャワーをあびて、
さっぱり気分。
「さあ、今日はなにして遊ぼうかな。」

ぴょん、ぴょん、ぴょん。

ズズズッズー。

ピッチャンの友だち、雨がえるのピョンと、かたつむりのズズがやってきて、

「遊ぼう、遊ぼう、
ピッチャーン。」

「鬼ごっこしようよ。
ピッチャーン。」

「いいよ。水たまり鬼だよ。」

水たまり鬼っていうのは、水たまりの中だけをにげていく鬼ごっこ。

あっちの水たまりへ、

ピッチャーン！

こっちの水たまりへ、

ザバーン！

「鬼さん、こちら。ここまでおいで。」

ピッチャンはつかまりそうになると、水たまりの中にズズズ～ッとしずんでいき、地面の中をぬけて、ちがう水たまりの中から、ボヨヨヨ～ンと出てきます。

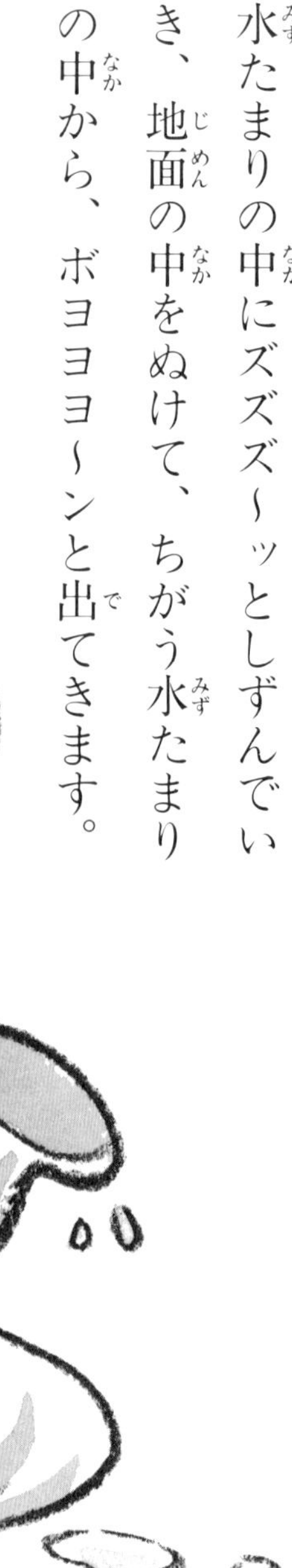

「ああっ、ずるいよ。

ピッチャーン。」

「水底をぬけて
いっちゃうんだもの。」

さすがのジャンプの名人、雨がえるのピョンも、ズズズーッと、のびるのがとくいの、かたつむりのズズも、ピッチャンをつかまえることはできません。

「ピヤッピヤッピヤッ！

また明日おいで。遊んでやるよ。」

ピッチャンは、大とくい。

「さて、そいじゃ、ひさしぶりに、車に乗って、
ぞくぞく村をながしてくるか。」

ピッチャンは、無線を飛ばして、くもすけを
呼びました。

「お待たせ！」

ピューンとやってきたのは、くもすけです。

ピッチャンは、くもすけをつれてオープンカーに飛び乗ると、

「まずはぐずぐず谷へ、行ってみよう！」

ピッチャンの運転する車は、ふわふわと走りだしました。

ぐずぐず谷には、
魔女のオバタンの
家があります。

空から見ると、庭先で、魔女の四ひきの使い魔が、大なべをみがいているところです。

「あ、これからオバタン、あの大なべに乗って、どっかへ出かけるところなんだな。」

ピッチャンは、大なべの上空で車を止めると、くもすけに言いました。

「それ！

あの大なべをねらって集中豪雨だ。」

「へい、がってん！」

ザーザーザーザー
わあん！せっかくみがいたのに
雨水をかいださなくちゃ！
大なべをひっくり返した
さあ、出かけるよ
ありゃ！おまえたち
何やってんだい！

だっ、だって、にわか雨が！
なんだって？
？？？？？
ピャッピャッピャッ！
ああ、おかしかった！

ラムさんの家のうら庭では、ラムさんと、おくさんのマミさんが、バーベキューをやっています。

あなたたん♥
ナンコツ
やけたわよん
うん♥
こっちの
パピルス
せんべいも
こんがりやけたよ
ドッチャーン

「ピヤッピヤッピヤッ！
それ、にげろ！」
ピッチャンの車は、急発進。
「あっ、あんなところを雨雲が
にげていくわ。」
「さては、雨ぼうずのしわざだな。
こらあっ！」
ラムさんとマミさんが、こぶしを
ふりあげたときには、ピッチャンは、
もじゃもじゃ原っぱの上空にいました。

もじゃもじゃ原っぱには、おしゃれおばけのおじいさんと、三人のちびっこおばけたちの家があります。

「どうやって、いたずらしようかな。」

ピッチャンがつぶやいたとき、ちょうど、おしゃれおばけのおじいさんが、げんかんから出てきました。

いつもおしゃれなおじいさんおばけですが、今日はまた、とくべつ、めかしこんでいます。

原っぱの上で、気どったポーズで一回転。

「わたし、キマッてる?」

まどから、ちびっこおばけたちも顔を出して、

「バッチリよ、おじいさん。」

「そうかい？

じゃあ、ちびっこたち、行ってくるよ。」

「行ってらっしゃい、おじいさん。」

「ぬるぬる池のレロレロさんによろしくね。」

「おみやげ、楽しみにしてるわよ。」

ちびっこおばけのグーちゃん、スーちゃん、ピーちゃんに手をふられ、おじいさんは、ルンルンと歩きだしました。

「ふうん。これから、あのじいさん、
ぬるぬる池の妖精、レロレロとデートでもするのかな。」

ピッチャンは、さっそく、おしゃれおばけのおじいさんの、ま新しいぼうしの上に、ドドーッと雨をふらせてやりました。

ドドーッ

「ピヤッピヤッピヤッ！　それ、にげろ！」

ピッチャンの車は、すたこらピューッと急発進。

「わあん！　これじゃ、レロレロさんとこに、お呼ばれに行けないよ。きがえてこなくちゃ。」

レロレロさんの家は池の中なのですから、どっちみちぬれてしまうのに、おしゃれなおじいさんは、やっぱり、ビシッとキメて行きたいのです。

「ああっ、雨ぼうずのしわざだわ。」

「せっかくおじいさんがおしゃれしたのに！　ゆるせない！」

「つかまえて、とっちめてやらなくちゃ！」

ちびっこおばけたちは、かんかんです。

「あたしたちにまかせて。

おじいさん！」

さけぶが早いか、ちびっこおばけたちは、もうれつないきおいで、ピッチャンの車を追いかけていきました。

「うわあ、おばけたちも空を飛べるの、忘れてたよ。」

ピッチャンの車は、ひっしでにげまわりました。

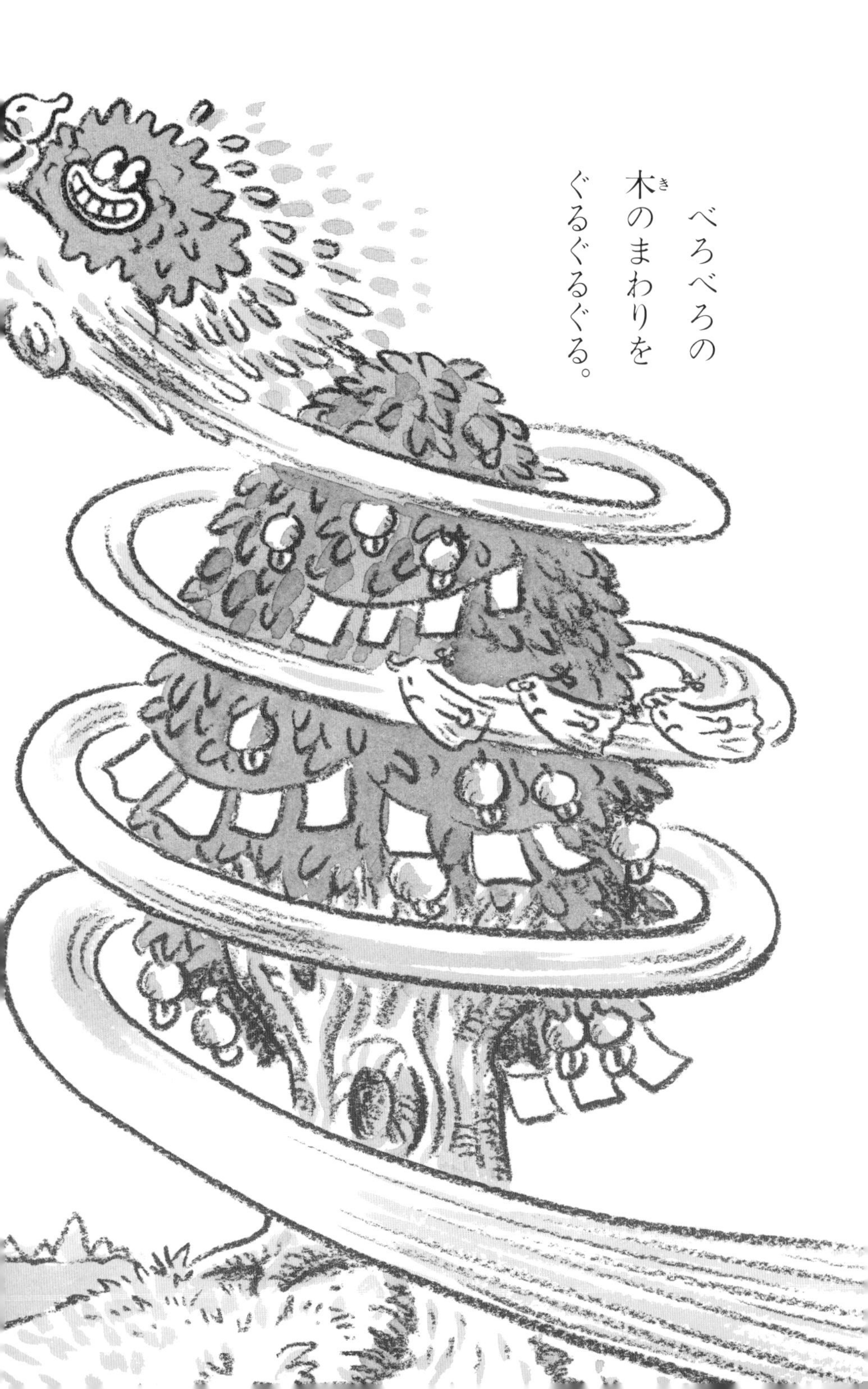

べろべろの
木(き)のまわりを
ぐるぐるぐる。

べろべろの木にほしてあった、
ゴブリンさんちのせんたくものは、
びしょびしょです。

吸血鬼ドラキュラのお城の
塔のまわりも、ぐるぐるぐるぐる。

バルコニーで、ロマンチックに血を飲んでいた、
ドラキュラのワイングラスにも、雨水がジャジャジャー！

どっきり広場の上空も、
びゅんびゅんびゅん。
ブティック「びっくり箱」の
上でねていた怪鳥ホヤホヤも、
びっくりして、
「パー！　パー！　パー！」

ぞくぞく村じゅう、
大さわぎになりました。

「見つけたぞ！　あたしの大なべを
びしょびしょにしたのは、
あんただったんだね！」
ぐずぐず谷からは、魔女のオバタンの
乗った大なべも飛んできました。
「待てえ！　雨ぼうず！」
「はさみうちよ！」
「もう、にげられないわよ。」
うしろからは、ちびっこおばけ
たちも、追いあげてきます。

「ひやあ、たいへんだ！
つかまっちゃう。」

こうなったら、やぶれかぶれ。

「必殺、雨台風！

たのむよ、くもすけ！」

「へい！　がってん！」

くもすけは、目にもとまらない速さで回転しながら、大雨を四方にふり飛ばします。

「わあ！」

オバタンやちびっこおばけたちが一瞬ひるんだすきに、ピッチャンは、びしょびしょ丘に一目散。

「雨雲、全員集合！　通せんぼ用意！」

雨雲たちを集めると、家のまわりをかこませて通せんぼ。

「うーむむ！　厚い雨雲にとざされて、なんにも見えん。」

「んもう、グー！」

「もうちょっとで、つかまえられたのに、スー！」

「くやピー！」

魔女のオバタンも、ちびっこおばけたちも、あきらめてひきあげていったようです。

「ピヤピヤ。あぶないとこだった。」

ピッチャンは、ホーッと一安心。

次の日。
ピッチャンが、ふかふかの
雲ぶとんの中で目をさますと、
表の方で、
「ピッチャーン！」
「ピッチャーン！」
「ピッチャン、チャーン！」
と、呼ぶ声がします。
「あっ、あれは、ちびっこおばけ
たちの声だ。きっと、きのうの、
しかえしにきたんだ。」

ピッチャンは、ふとんをかぶって、
シーン！　と、いないふり。
「そのうち、あきらめて帰るだろう。」
ところが、そのうち、聞こえてき
たのは、なにやら楽しそうなわらい声。

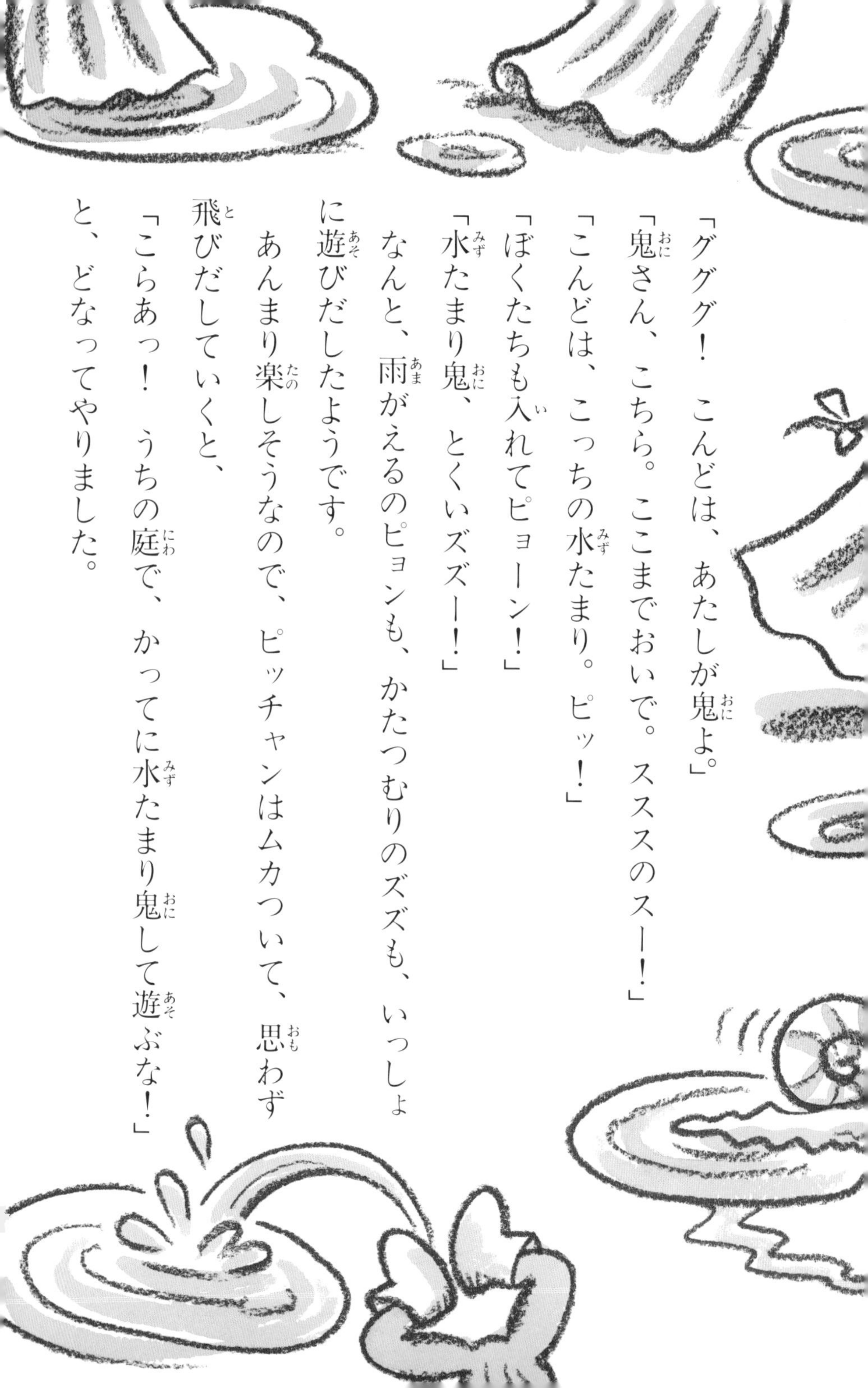

「ググググ！　こんどは、あたしが鬼よ。」

「鬼さん、こちら。ここまでおいで。スススのスー！」

「こんどは、こっちの水たまり。ピッ！」

「ぼくたちも入れてピョーン！」

「水たまり鬼、とくいズズー！」

なんと、雨がえるのピョンも、かたつむりのズズも、いっしょに遊びだしたようです。

あんまり楽しそうなので、ピッチャンはムカついて、思わず飛びだしていくと、

「こらあっ！　うちの庭で、かってに水たまり鬼して遊ぶな！」

と、どなってやりました。

とたんに、ちびっこおばけたちが、わっと飛びかかってきて、
「ほら、つかまえた！」
「ひゃあ！　なにするんだ！」
あばれるピッチャンのアンテナの先っぽに、グーちゃんが、すばやくなにかをぺたっとはりつけました。

スーちゃんは、大きな布きれを、ピッチャンの頭からすっぽりとかぶせました。ピーちゃんが、その上からリボンで、首のあたりをきゅっとむすぶと、

「わあい！　できた。大きなてるてるぼうず！」

三人は、ピッチャンのすがたを見て、手をうってよろこんでいます。

「おうい、雨雲たち！　たすけてくれえ。全員集合！」

ようやく、頭のてっぺんから、アンテナだけをつき出したピッチャンは、無線を飛ばして雨雲を呼ぼうとしましたが、なぜか、だあれも飛んできてくれません。

それどころか、遠まきにながめていた雨雲たちは、ピッチャンのかっこうを見て、

「うぎゃあ！　おいらたちのきらいな、てるてるぼうずだ！」

と、てんでんばらばらに、にげていってしまいました。

「グアッグアッ、グアッ！　いいきみ。いいきみ。」

「これで、もう雨ぼうずも悪いことはできないッス！」

「やっぱり、魔女のオバタンに相談してよかった、ピー！」

ちびっこおばけたちは、
お手々つないで、帰って
いきました。

「なんだよ、こんなもの。すぐぬげるじゃないか。」

ピッチャンは、いそいでてるてるぼうずの衣装をぬぎすてました。

「おうい！　もどってきてくれよう！
ぼく、てるてるぼうずじゃないよう。雨ぼうずだよう！」

雨雲たちを呼びもどそうとしましたが、やっぱりだあれも、もどってきません。かってに空の上で、ぷかぷか遊んだり、ごろごろいねむりしたりしています。

「いったい、どうなっちゃったんだ。無線がとどかないのかな。」

アンテナの先っぽをさわってみたピッチャンは、ギクッ！

「なんだ、こりゃ！」

ガムみたいなものが、べったりくっついているではありませんか。

「ピヤー！　無線がとどかないのは、このせいだったんだ。」

ピッチャンは、水たまりにアンテナをつっこんで、ゴシゴシ、こすってみましたが、べたべたは取れません。

「わあん！　どうしよう。」

雨雲たちが雨をふらせてくれなかったら、ピッチャンだって、いつかは、からからにひからびてしまいます。虹色にかがやいていたピッチャンの体は、気のせいか、早くも色あせてきたようです。

「ピエー！　ちびっこおばけたちは、魔女のオバタンにたのんで、ぼくのアンテナ封じを作ってもらったのにちがいない。」

こうなったら、魔女のオバタンのところへ行って、べたべたを取ってもらうしかありません。

わっ
ピッチャンが
なんか
カサカサ
してきた
みたい…

雨ぼうずのピッチャンは、
ぐずぐず谷にむかって、
ペタペタと歩きだしました。
「ふん！　やっぱりきたね。
のこのこと。」
ドアを開けるやいなや、
魔女のオバタンは、
いきなりバケツの水を
ザバーッと、ピッチャンの
頭からぶっかけました。

「どうだ！　大なべを水びたしにされた、しかえしだ。」

「あ、ありがとう。たすかった！」

ピッチャンは、のどがからから。頭もからから。

もうちょっとで、ひからびそうだったのですから、
ほんとうに生きかえったここちです。

「オバタン。雨ぼうずに、水、ぶっかけても、しかえしにならないでやんすよ。」

ねこのアカトラに言われて、オバタンは、がっくり。

「それもそうだ。じゃあ、火あぶりにしてやるか。」

「ピヤーン！　やめて！　ただでさえ、アンテナの先っぽにへんなもの、くっつけられて、ぼく、ひからびそうなのに。」

「ふん！　それは、オンブオバケガムといってな。一度くっついたら最後、いくらおまえが、ひっぱったって、こすったって、はがれやしないさ。カンラ、カラカラ！　おとといおいで！」

オバタンはそう言って、ピッチャンの鼻先で、ドアをピシャン！

「わあん！　ごめんなさい、ごめんなさい。

ぼく、もう二度といたずらしませんよう！

いい子になりますから、取ってくださいよう！」

ピッチャンは、ビタンビタン、ドアをたたきながら言ったのですが、オバタンは出てきてくれません。

「ピヤーン！　ぼく、どうしよう。」

なきながらもときた道を歩きだすと、オバタンの四ひきの使い魔が、追いかけてきました。

「あんまりかわいそうだから、教えてあげる。」
と、こうもりのバッサリ。

「オンブオバケガムを取る方法。」
と、とかげのペロリ。

「えっ、オンブオバケガムを
取る方法があるの？」

「しーっ！　オバタンには、ないしょだよ。」
と、ひきがえるのイボイボ。

「教えて、教えて、
おねがい、教えて！」

「あのね、オンブオバケガムを取るにはね、赤、白、黄色の鳥の羽をガムの上に乗せ、その上から人間の血と、ミイラのつめのあかをふりかけ、三人の女の子にひっぱってもらうのさ。」

と、ねこのアカトラ。

「え、ほんと？　わかった。ウピャーイ！　赤、白、黄色の鳥の羽だったら、ホヤホヤのをひっこぬけばいい。人間の血はドラキュラに分けてもらおう。冷凍血液、いっぱい持ってるっていうから。つめのあかは、ラムさんにもらえばいいんだ。三人の女の子だったら、ちびっこおばけたちでいいんだ。やった！　ありがと。」

ピッチャンは、おどりあがったのですが……

次の瞬間、へなへなとすわりこみました。

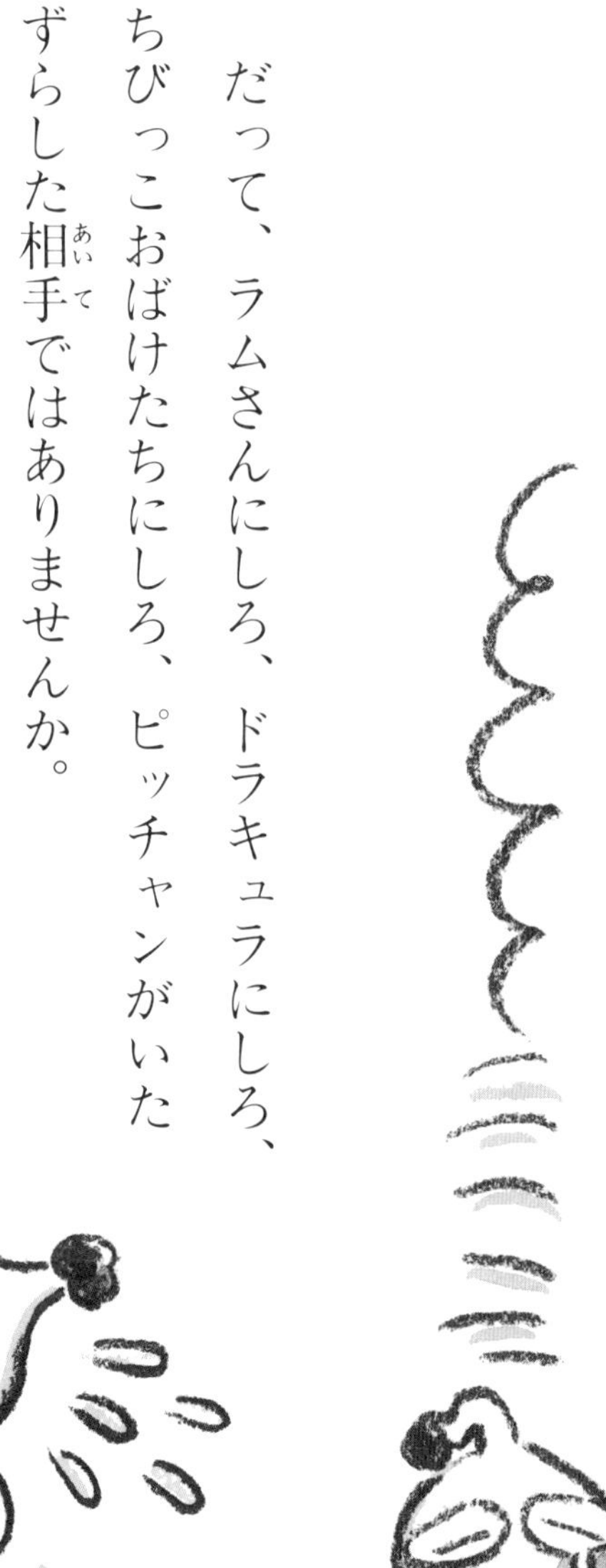

だって、ラムさんにしろ、ドラキュラにしろ、ちびっこおばけたちにしろ、ピッチャンがいたずらした相手ではありませんか。

きっとまだ、ピッチャンのことを、おこっているにちがいありませんから。

「ピエー！　それでも、行くっきゃない！」

ピッチャンは、まずはブティック「びっくり箱」に行きました。

そして、なにくわぬ顔をして、ホヤホヤに近づいていくと、こっそり、頭の羽をひっこぬこうとしました。

ところが……

ホヤホヤは、首にかけたダイアモンドを取られるのかと、かんちがい。すごいいきおいで、ピッチャンをつつきまくりました。

「いたい、いたい、いたい！」

「なんだ。ホヤホヤの羽がほしいなら、ぼくに言ってくれればいいのに。」

とうめい人間のサムガリーが、ホヤホヤをとりおさえてくれなかったら、ピッチャンは体じゅうあなだらけになるところでした。

「ピヤピヤ！　鳥の羽三枚で
このさわぎだよ。このあと、
どうなっちゃうんだろう。」
ピッチャンは、足取りも重く、
ミイラのラムさんの家にむかいました。

ラムさんの骨董品のお店では、たなおろしの最中。
「ちょうどいいところへきたわ。」
ピッチャンは、お店の骨董品を、全部たなからおろして、
数をかぞえてノートに書きこむおてつだい。
ようやく、ラムさんのつめのあかを、ちょびっと分けて
もらいました。

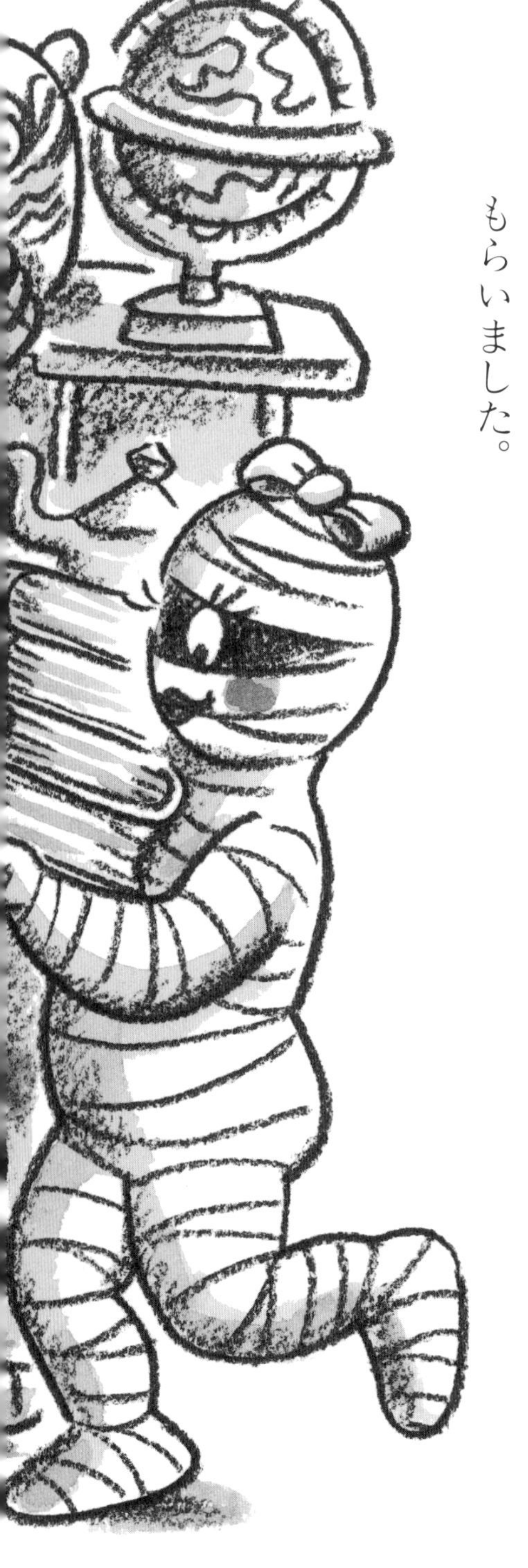

ドラキュラのお城では、ばっとして
広い食堂のゆかみがき。
やっと、冷凍血液を一てき、もらい
ました。
「さあ、あとは、ちびっこおばけたちに、
ひっぱってもらえばいいんだ。」

ちびっこおばけたちのばつゲームは、
もじゃもじゃ原っぱでの鬼ごっこ。
「なあんだ。そんなばつなら、
うれしいね。」

ピッチャンは、はりきって
鬼ごっこをはじめました。
……が、もじゃもじゃ原っぱ
には、ちびっこおばけたちが
こしらえた、落としあなや、
わながいっぱい。

「ピヤーン！　水たまり鬼なら
とくいなのにー。」
とうとう、ピッチャンは、
へろへろになってなきだしました。
「そろそろゆるしてあげようか。」
ようやく、ちびっこおばけたちに
ひっぱってもらって、
オンブオバケガムは
取れました。

やっとの思いでびしょびしょ丘に帰ってきたピッチャンですが、
雨雲たちを呼びよせるのは、ひとくろう。
なぜって、雨雲たちは、さっさとおけら山にひっこして、
すっかり雪雲になっていたからです。

遠足の前の夜も、てるてるぼうず反対！　雨を大切に！

ぞくぞく村だより⑪号

ピッチャン監修
会いたい人特集

◆発行所◆
ぞくぞく村広報室

結果発表！

みなさん、投票ありがとう！

ぞくぞく村だより⑩号で募集した「いちばん会いたいのはだれ？」ランキングに、たくさんのおたより、ありがとうございました！　よろこびのひと言と、みなさんからの声をご紹介しまーす。

堂々1位　ちびっこおばけ　グー・スー・ピー

「かーわいいから！」
と、圧倒的多数の意見

えらんでくれてありがとッピ！

これからもがんばっていたずらするッス。

やった！　グー！

ーちゃん

スーちゃん

グーちゃん

おんなじ投票数で2位　雨ぼうずピッチャン　&　怪鳥ホヤホヤ

「見たことないから、会ってみたい。」
岐阜県　こうじくん

初登場で2位だって？　すごいじゃん。

パー！
パー！
パー！

「笑顔がすごくかわいいから。」
宮城県　なみさん

緊急速報

ピッチャンV.S.ユキミダイフク！
雨雲つなひきのその後……

「ぼくの雲、かえせー！」
「いやや！　わてのや！」
はげしいひっぱりあいが続いていましたが……

ピッチャンが、ちぎれ雲をつれて帰ることで、ぶじ、決着したもようです。

わしだけ、ばつゲームをまだしてないぞ！

もじゃもじゃ原っぱで、サングラス落としちゃいました。さがして！（ズズ）

大特集！ “ぞくぞく村で、いちばん会いたいのはだれ？”

4位 魔女のオババタン

「魔法を教えてもらいたい。」
大分県 まいさん

いっしょに5位 ゴブリンさんちの七つ子の赤ちゃん ＆ ぬるぬる池の妖精レロレロ

「見わけてみたいから。」
神奈川県 たかきくん

「きれいずきでおしゃれだから。」
長野県 りょうこさん

以下の順位はこんなかんじでした。
これからもぞくぞく村をよろしくね。

- 8位 四ひきの使い魔
- 9位 がいこつガチャさん
- 10位 雪女ユキミダイフク
- 11位 ゾンビのビショビショ
- 12位 ミイラのラムさん＆マミさん
- 13位 おしゃれおばけのおじいさん
- 14位 吸血鬼ドラキュラ＆ニンニン
- 15位 小鬼のゴブリンさん＆おくさん
- 16位 おおかみ男

7位 とうめい人間サムガリーとナオミさん

「本当に見えないか見てみたい。」
北海道 りささん

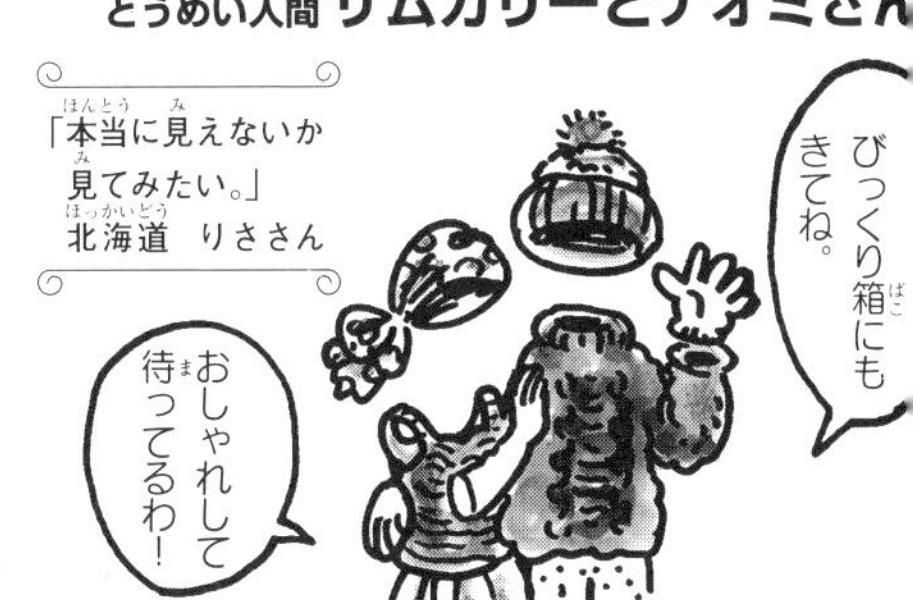

●ぞくぞく美術館では、にがおえ展の作品をぼしゅう中！　ぞくぞく村に住む人のにがおえを、はがきにかいて送ってくださいね。
●ぞくぞく村だよりでは、「Q＆A大特集」を予定しています。みなさんの知りたい質問をどしどしおよせください。お待ちしています！

おたよりください ▼あてさき▼ 〒一〇一—〇〇六五 東京都千代田区西神田三—二—一 あかね書房「ぞくぞく村」係

作者　**末吉暁子**（すえよし　あきこ）
神奈川県生まれ。児童図書の編集者を経て、創作活動に入る。『星に帰った少女』（偕成社）で日本児童文学者協会新人賞、日本児童文芸家協会新人賞受賞。『ママの黄色い子象』（講談社）で野間児童文芸賞、『雨ふり花さいた』（偕成社）で小学館児童出版文化賞、『赤い髪のミウ』（講談社）で産経児童出版文化賞フジテレビ賞受賞。長編ファンタジーに『波のそこにも』（偕成社）が、シリーズ作品に「きょうりゅうほねほねくん」「くいしんぼうチップ」（共にあかね書房）など多数がある。垂石さんとの絵本に『とうさんねこのたんじょうび』（BL出版）がある。2016年没。

画家　**垂石眞子**（たるいし　まこ）
神奈川県生まれ。多摩美術大学卒業。絵本に『ライオンとぼく』（偕成社）、『おかあさんのおべんとう』（童心社）、『もりのふゆじたく』『きのみのケーキ』『あたたかいおくりもの』『あいうえおおきなだいふくだ』『あつあいつい』（以上福音館書店）、『メガネをかけたら』（小学館）、『わすれたって、いいんだよ』（光村教育図書）、『けんぽうのえほん　あなたこそたからもの』（大月書店）などがある。挿絵の作品に『かわいいこねこをもらってください』（ポプラ社）など多数。日本児童出版美術家連盟会員。
垂石眞子ホームページ
http://www.taruishi-mako.com/

ぞくぞく村のおばけシリーズ⑪　**ぞくぞく村の雨ぼうずピッチャン**
発　行＊1999年8月20日初版発行　2024年1月第32刷　NDC913　79P　22cm
作　者＊**末吉暁子**　画　家＊**垂石眞子**
発行者＊岡本光晴
発行所＊**あかね書房**　〒101-0065　東京都千代田区西神田3-2-1／TEL.03-3263-0641（代）
印刷所＊錦明印刷（株）　写植所＊千代田写植　製本所＊（株）難波製本

ISBN978-4-251-03651-3

ぞく村
雨ぼうずの家
びしょびしょ丘
おしゃれ
おばけの
家
オバタンの家
もじゃもじゃ原っぱ
ミイラのラムさん
ベロベロの木
ゴブリンの家
とんとん橋
おばけかぼちゃ畑
吸血鬼の家
ぱかぱか森